Pe. JOÃO CLÍMACO CABRAL, C.Ss.R.

DEPRESSÃO TEM CURA

Liberte-se o quanto antes

DIREÇÃO EDITORIAL | Pe. Flávio Cavalca de Castro, C.Ss.R.
Pe. Carlos Eduardo Catalfo, C.Ss.R.
COORDENAÇÃO EDITORIAL| Elizabeth dos Santos Reis
COPIDESQUE | Vanini N. O. Reis
REVISÃO| Cristina Nunes
DIAGRAMAÇÃO| Marcelo Tsutomu Inomata
CAPA | Bruno Olivoto

Dados Internacionais de Catalogação na Publicação (CIP)
(Câmara Brasileira do Livro, SP, Brasil)

Cabral, João Clímaco
　　Depressão tem cura: liberte-se o quanto antes / João Clímaco Cabral. –Aparecida, SP: Editora Santuário, 2002. (Coleção Biblioteca Popular, 8)

ISBN 85-7200-813-6

1. Autoajuda - Técnicas 2. Autoestima 3. Depressão mental – Tratamento I. Título. II. Série.

02-2411 　　　　　　　　　　　　　　　　　　　　　　　　　　CDD-158.1

Índice para catálogo sistemático:

1. Depressão: Autoajuda: Psicologia aplicada 158.1

21ª impressão

Todos os direitos reservados à **EDITORA SANTUÁRIO** – 2019

Rua Pe. Claro Monteiro, 342 – 12570-000 – Aparecida-SP
Tel.: 12 3104-2000 – Televendas: 0800 - 16 00 04
www.editorasantuario.com.br
vendas@editorasantuario.com.br

INTRODUÇÃO

A depressão é chamada a doença do século. Os meios de comunicação, a televisão, o rádio, os jornais e a internet apresentam um mundo maravilhoso: casas bonitas, carros de último tipo, viagens por muitos países e muito dinheiro. Tudo isto faz com que o nosso superego, o nosso ideal, seja grande e acima do normal.

Quando não conseguimos aquilo que sonhamos, vêm a decepção, a frustração e como consequência a depressão.

No mundo de hoje, vemos tantas pessoas deprimidas. Pessoas decepcionadas, com uma profunda depressão, que não querem mais viver e sentem dentro de si uma tristeza profunda, isolam-se e têm sempre o pensamento de morte.

Vendo tanto sofrimento no meio do povo e presenciando tantos suicídios, eu escrevo este livro para ajudar muitas pessoas.

A depressão pode ser vencida, pois tem cura, mas é necessário conhecer o caminho para sair desse buraco profundo que faz tantas pessoas sofrerem.

Chega de depressão! Queremos alegria de viver. A pessoa humana foi criada por Deus para ser feliz.

Que este livro ajude muitas pessoas a ficar livres da depressão e começar uma vida nova com Deus e com a felicidade.

1
DEPRESSÃO, DOENÇA DO SÉCULO

Há muitas neuroses, e entre estas neuroses está a depressão. Mas o que é neurose?

Neurose segundo as teses culturalistas de Freud e Horney

As pressões sociais, como a educação errada dentro da família, as separações dos casais, a vida econômica com altos e baixos, atuam nas pessoas como um papel provocador. Com as pressões sociais e as taras hereditárias criam uma imaturidade psicológica e as pessoas adultas passam a comportar-se como crianças. Quando houver um choque emocional, como acontecimentos tristes, falecimentos, fracassos ou perdas, desencadeia-se uma neurose, que é a perda do controle dos nervos e dos neurônios. Esta é a teoria culturalista.

Neurose dentro da psicanálise

Segundo a psicanálise, a neurose é um conflito interno que se opõe às forças impulsoras do ego, provocando a angústia, contra a qual a pessoa passa a lutar, mobilizando certos mecanismos inadequados de defesa. Por isso sofrem e fazem os outros sofrerem.

Neurose segundo os reflexólogos como Pavlov

Os animais e os humanos adquirem a neurose colocando-se durante algum tempo em uma situação conflitante. Depois que ficou condicionado àquele conflito, não consegue viver naturalmente.

Vamos dar um exemplo: coloca-se um animal preso diante da comida. Quando o animal aproxima-se leva um choque elétrico. Depois de algum tempo, aquele animal sente o coração acelerado e um suor frio no corpo.

O mesmo acontece com a pessoa humana. Vive durante muito tempo em conflito, como a guerra doméstica, a luta econômica, a raiva, o ódio e outras coisas. Esta pessoa com o tempo entra numa neurose. O conflitante não sabe mais agir na vida normal. Esta é a teoria segundo os reflexólogos.

Teoria mais recente

Somente no século XVIII é que encontramos a palavra *neurose* nos escritos de William Cullen, em 1769.

Atualmente a neurose é considerada uma doença emocional, que leva a pessoa a não mais controlar suas emoções. Os acontecimentos externos perturbam a vida de muitas pessoas, que perdem por instantes sua personalidade. Com o tempo o neurótico vai adquirindo muitos defeitos como: nervosismo, egocentrismo e passa a ser ultrassensível, revoltado, orgulhoso, temperamental, intolerante, ciumento e onisciente. Diz que conhece tudo e não precisa da ajuda de ninguém.

As causas da neurose

As causas das neuroses são muitas:

1. *Uma predisposição*: existe em alguns indivíduos uma predisposição por hereditariedade ou por convivência com pessoas neuróticas. A neurose é uma doença contagiante.

2. *A sociedade dividida*: a sociedade hodierna está dividida entre pobres e ricos e em muitos partidos políticos. Há também divisão no mundo do trabalho e até na religião. Esta divisão social poderá criar dentro da pessoa uma dupla personalidade. A inconsciência desta pluralidade do eu já é uma neurose.

3. *A extinção de pequenos grupos*: a separação da família, a perda da profissão, o enfraquecimento dos laços familiares, a ganância pelo dinheiro e as frustrações da vida levam muitos à solidão, ao isolamento, pois perderam a ilha de segurança, que é a família, o emprego.

4. *Inibição no amadurecimento*: por motivos de doença, morte, profissão errada, rejeição infantil, muitos jovens não chegam ao amadurecimento psicológico e comportam-se como criança. Esta imaturidade leva à neurose.

5. *O aumento de trabalho coletivo*: no passado havia muito trabalho individual: o ferreiro, o sapateiro, o marceneiro, o seleiro e muitos outros. Atualmente quase todo trabalho é coletivo. Consequências: desvalorização da pessoa humana, falta de autonomia, imaturidade profissional, medo de agressão: ser mandado embora, receber censura do chefe ou ser mandado para outro lugar.

6. *Contradições da sociedade moderna*: em tudo há competição: no comércio, na profissão, nos estudos. Os menos preparados ficam para trás; os menos bonitos não são escolhidos e muitos ficam à margem da sociedade.

A sociedade apresenta coisas lindas, mas impossíveis de serem adquiridas por todos: brinquedos bonitos, passeios maravilhosos, vida fácil, carros de último tipo e mansões lindíssimas. Mas são pouquíssimos os que podem ter tudo isto. Há liberdade democrática para todos, mas o povão está subjugado e reprimido.

7. *Necessidades fundamentais de uma pessoa*: a neurose começa com a frustração de uma necessidade. Se faltar uma necessidade fundamental, a pessoa deixa de ser gente e vai ficar doente. Essas necessidades são necessárias para a vida de uma pessoa. Segundo Pavlov, as necessidades fundamentais para a pessoa humana são as seguintes:

- Necessidades fisiológicas para o corpo: ar, comida, água e calor.
- Segurança: sem ela, a pessoa fica insegura e doente.
- Amor: necessidade essencial; se faltar a pessoa fica carente afetivamente.
- Estima: ser aceita e respeitada como a pessoa é.
- Realizações: consistem em colocar em atos as suas capacidades.

8. *Conflitos internos*: há três espécies de conflitos internos:
    a. A pessoa está entre duas solicitações ou duas atrações:

b. A pessoa está entre duas recusas ou duas repulsas:
   Morreu a mãe de uma criança que não tinha pai:
   Não quer morar

   com a avó  **com a tia**

c. A pessoa está entre uma atração e uma repulsa:
   Um moço vê sua namorada dentro da piscina, mas não sabe nadar:

   Piscina com água fria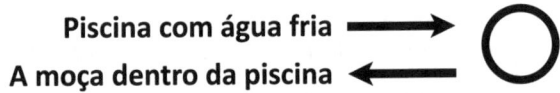
   A moça dentro da piscina

Se uma pessoa viver durante algum tempo num conflito interno, ela entra num desequilíbrio emocional.

2
DEPRESSÃO, DOENÇA QUE TEM CURA

A depressão é totalizante

A doença mais comum do nosso tempo, que atinge crianças, jovens, adultos e pessoas idosas, é a depressão. A depressão é uma doença psíquica que atinge todo o físico da pessoa. Traz uma somatização em todo o corpo. Por isso é chamada de doença totalizante. Atinge o psíquico e todo o físico. Aí está o grande perigo de a pessoa procurar todos os remédios para o alívio do corpo e não cuidar do seu psíquico. Os remédios poderão aliviar o corpo, mas não vão curar a doença psíquica. A depressão atinge a pessoa em todo o seu ser.

A depressão atinge a inteligência

Aparece um cansaço mental muito grande. A pessoa doente tem dificuldade de pensar, de estudar e mesmo de descrever o que sente; os pensamentos tornam-se lentos e aparecem as ideias de desgraça.

A depressão atinge a vontade

A pessoa deprimida perde a vontade de viver e não quer fazer mais nada. Seus desejos são limitados e não quer outra coisa a não ser isolar-se e ficar na cama o dia inteiro.

A depressão atinge os sentimentos

A pessoa deprimida, ferida em seu próprio eu, perde sua personalidade, a força de amar, e passa a sentir-se no fundo do poço. Esse poço é profundo, e a pessoa não sente vontade de fazer mais nada, a não ser chorar e lamentar perdas de um passado triste.

A depressão manifesta-se também nos sintomas externos

A pessoa deprimida tem um semblante abatido. Sua expressão é de dor. Fica ansiosa e poderá chegar até ao desespero.

O rosto de uma pessoa deprimida é rígido e, às vezes, ela chega a sentir a face paralisada e imóvel.

A pessoa deprimida sente dificuldade até no andar, pois sente um cansaço muito grande, apesar da agitação interna.

O som da voz é modificado, o tom vocal parece um falsete, modificando a tonalidade e a cadência ao falar. A pessoa com uma voz assim parece estar desesperada e pedindo socorro.

A depressão atinge todo o sistema nervoso

É muito comum a pessoa deprimida sentir a cabeça zonza, um nó desagradável na garganta, palpitações, mãos úmidas, gastrite nervosa, espasmos intestinais com diarreia ou prisão de ventre, dor na bexiga e ardência ao urinar.

Tudo isto poderá trazer para o depressivo dores em todo o corpo, paralisias parciais, desmaios, vertigens, perturbação na vista e indisposição em todo o corpo.

A depressão é cíclica

A depressão é cíclica, isto é, ela aparece de tempos em tempos. Ela vem, desaparece e o pior de tudo é que vai aumentando cada vez mais e toma conta da pessoa. O depressivo pensa que sarou e quando menos espera a doença volta e começa novamente todo o desespero. Por isso é muito importante a pessoa cuidar-se para não entrar em depressão, e quando ela aparecer pela primeira vez deve ser cuidada imediatamente, para nunca mais voltar. Com a depressão não se brinca. Ela deve ser cuidada imediatamente.

A depressão e a fuga geográfica

Eu estava dormindo profundamente, depois de um dia de muito trabalho, quando o telefone do meu quarto tocou. Era uma e meia da madrugada. Um guarda do Santuário Nacional diz ao telefone: "padre Cabral, estamos precisando do Senhor urgentemente".

O que havia acontecido? Um senhor já de idade, de uma cidade do interior do Estado de São Paulo, entrou numa depressão profunda. Ele foi um alto funcionário, e pertence a uma boa família.

Depressivo, passa pela sua cabeça sumir, desaparecer e nunca mais voltar. Pega o carro, vai até a rodoviária da cidade, abandona-o e pega um ônibus para São Paulo.

A família desesperada procura por ele e encontra o carro na rodoviária. Foram até a beira de um rio que passa por perto. Quantos já se suicidaram nesse rio. Mas não encontraram nada.

Enquanto isso o senhor chega a São Paulo. Ele quer pegar um ônibus para o Nordeste e nunca mais voltar. Isto se chama em psicologia *fuga geográfica*. Procurou uma agência de ônibus e por um acaso viu: Aparecida. Pegou este ônibus.

À noite chega a Aparecida e, não sabendo para onde ir, entrou no Santuário Nacional de Nossa Senhora da Conceição Aparecida.

Sua tristeza era muito grande, tinha vontade de chorar.

Um guarda do Santuário aproximou-se daquele senhor e conversou com ele. Viu que o caso não era fácil. Levou-o para a sala de comando da guarda para ele descansar um pouco.

O caso era desesperador. O guarda resolveu telefonar para o padre Cabral. Conversando com o guarda, lembrei que aquele senhor já era meu conhecido há muitos anos. Mandei colocar o senhor ao fone e conversamos. Ele me deu o telefone de sua família e de um amigo. Entrei em contato com esse amigo em sua cidade e pedi para a família vir buscá-lo. Conversei novamente com o senhor e pedi para ele descansar, pois o seu cansaço era muito grande.

Às seis horas da manhã já estava conversando com aquele senhor. Ouvi toda a sua história e depois dei por escrito o que ele deveria fazer para sair da depressão. Uma hora e meia de terapia.

Chegou a família e aquele senhor voltou para casa mais aliviado.

Seis meses depois estive naquela cidade, e qual não foi a minha alegria quando vi que aquele senhor me procurou para agradecer.

Eu o abracei e disse: "O senhor foi protegido por Deus e por Nossa Senhora Aparecida".

3
A DEPRESSÃO COM SUAS CONSEQUÊNCIAS

O depressivo cíclico poderá tornar-se um depressivo crônico. A doença toma conta totalmente da pessoa e o doente não quer mais viver.

Aquele mundo cheio de sol, repleto de muitas alegrias termina e torna-se escuro e vazio. Antes da doença o depressivo tinha um ideal, lutava para conquistar as coisas, mas agora a luta terminou, está tudo parado, não há mais interesse em nada.

Antes o depressivo tinha força para viver, lutar; agora com a doença veio o cansaço, que tomou conta de sua cabeça, de seus braços e pernas.

Antes da depressão a pessoa sentia que a vida era bela, tudo era positivo, tudo conseguia, e agora é o oposto. A vida tornou-se horrível, o negativismo tomou conta de tudo, não se consegue mais nada. Falta a força de viver e o ânimo de seguir em frente.

A pessoa depressiva chega ao fundo do poço emocional. Tudo é escuro. Tudo está mal. Não adianta mais lutar, viver, assim pensa o depressivo. A autodesvalorização é total. Pode ter tudo: dinheiro, casa, um bom casamento, mas tudo torna-se inútil, porque a visão que se tem é de que está tudo escuro. A vida vai definhando-se, porque o depressivo não vive mais.

Vamos explicar a razão deste desânimo. Nós temos um impulso para a morte, porque um dia vamos morrer. Mas temos também um impulso para a vida, porque temos vida. O depressivo deixa de viver e começa a se matar aos poucos. Daí vem o pensamento suicida, como se a morte fosse a solução de todos os problemas.

Assim constatamos que a depressão é uma doença que mata, mas é o próprio depressivo que procura a morte.

Hoje sabemos que o suicida é um doente depressivo e não um culpado da própria morte, nem um covarde, como se pensava anos atrás.

Outras consequências da depressão

O depressivo não se alimenta convenientemente porque perde o apetite, por isso enfraquece fisicamente.

Por fim o depressivo perde a vontade de viver e aí poderá ser o seu fim. A morte é a solução? Não. O suicídio vem acabar com tudo? Também não.

Quantas pessoas tentaram o suicídio e hoje sofrem barbaramente as consequências.

Mais consequências da depressão

O depressivo poderá entrar num egoísmo doentio e viver com o seu eu ferido. Em outras palavras, a pessoa depressiva volta-se para si mesma, não quer saber de ninguém e se esquece até de seus entes queridos. Isto passa a ser uma autodestruição. Se não houver um tratamento adequado ou alguém que oriente essa pessoa, o seu fim poderá estar perto. Mas este livro traz uma esperança. A depressão tem cura. Mas ainda quando a pessoa está no fundo do poço é mais fácil sair do que quando está afundando.

Uma pessoa quando está se afogando numa piscina fica desesperada, porque está no meio das águas sem um ponto de apoio. Mas quando ela chega ao fundo, pode dar um impulso com os pés e atingir novamente a superfície da água e respirar.

O depressivo, quando está afundando, julga-se vítima da vida e não quer ajudar-se, nem sarar. Mas quando atinge o fundo do poço emocional, sente o desespero, quer salvar-se e tenta uma saída. Esta saída pode ser um bom tratamento, recuperando assim sua saúde física e psíquica.

Paradoxalmente a depressão pode ser uma coisa útil

Com a depressão a pessoa faz uma parada na vida; uma parada terapêutica. A pessoa poderá parar até sua atividade profissional, e medita: "O que está errado em minha vida? O que eu devo mudar?"

Muitos depressivos "vomitam" seus conflitos, erros e maus desejos. Contam para alguém o que está acontecendo em sua vida.

Com a ajuda de um profissional, o deprimido poderá:
– Ver o que não está funcionando em sua vida...
– Ver o que acontece com sua vida afetiva...
– Ver o que não aceita em sua vida...
– Ver como começar uma vida nova...

Conheci muitos depressivos que depois de saírem da depressão começaram uma vida feliz. Os conflitos foram tirados, o passado negativo não é vivido mais, e o depressivo começa a amar a si mesmo, a vida, as pessoas e a Deus acima de todas as coisas.

Agora existe o equilíbrio mental, o equilíbrio emocional, a felicidade e o desejo de viver alegre e sorridente.

Dez anos de depressão

Uma menina com quase dezesseis anos casou-se muito bem. Seu marido era de ótima família e estava muito bem de vida.

Dois anos depois, por causa de uma operação malsucedida, seu marido veio a falecer. Com dezoito anos apenas, aquela moça já estava viúva. O complexo de perda foi muito grande.

A depressão com suas consequências

Passados alguns anos, ela se casou com outro homem. Homem interesseiro, desequilibrado e que não amava suficientemente sua esposa. Este homem dormia todos os dias com uma faca embaixo do travesseiro. Veio o desquite. Não houve dúvida: esta moça entrou numa depressão profunda e crônica. Vivia só na cama, fechada e ruminando todos os problemas da vida. Mas chegou o dia de sair desta vida, que não é vida. Ela quis fazer um tratamento e me procurou.

Quando entrou no meu consultório estava vestida de preto, rosto abatido e demonstrando uma depressão profunda. Com atenção, ouvi toda a sua história.

Começamos o tratamento. A primeira coisa que eu fiz foi o seguinte: chamei duas senhoras e mandei dar-lhe um banho, pois há mais de dez anos não tomava banho. Foi o começo da recuperação da vida de uma pessoa depressiva. Hoje esta moça dirige, viaja e é uma industrial.

Depressão tem cura? Tem... mas depende de a pessoa deprimida querer sair de uma situação doentia e mudar seu modo de viver.

4
O QUE É DEPRESSÃO?

Até aqui vimos os sintomas psicossomáticos da depressão, suas consequências e seus efeitos. Agora vamos esclarecer o que é depressão. Há uma definição científica: "Depressão é um conflito interno entre o ego e o superego". Vamos explicar com calma e chegaremos a compreender. O indivíduo tem dentro de si a realidade do ego, mas não a aceita e quer viver diferente. Porém não consegue. Imediatamente surge uma luta entre o ego e o superego. Aparece um conflito interno, e como consequência depressão e mais depressão. Vamos explicar tudo isto para o leitor entender bem. Esta definição de depressão "conflito interno entre ego e superego" está na teoria de Freud, que aponta dentro do nosso psiquismo três instâncias principais:

1. ID (isto)
2. Ego (eu)
3. Superego (super eu).

Em que consiste o ID?

O ID representa tudo o que nos leva a viver. É todo o nosso passado (o que nos leva a viver é todo o nosso passado).

O que nos leva a viver são: os impulsos vitais, a respiração, a nutrição, a sexualidade e as funções (excretoras).

O ID é todo o nosso passado. Freud descreve o ID como um abismo muito profundo, no qual tudo foi gravado e conservado até hoje, desde a nossa concepção até o momento presente de nossa vida. Um dos segredos para se ter uma vida psíquica perfeita é não viver o passado desagradável, mas superá-lo para sempre.

O que é o ego?

O ego é a parte do indivíduo em contato com a realidade, por meio de nossos órgãos sensoriais. O ego é o nosso presente. É por meio dele que nos comunicamos com o mundo exterior, usando a nossa visão, tato, olfato e gestos. É o ego que nos dá a personalidade e a ligação do nosso interior com o nosso exterior. Este ego poderá ficar ferido e doente. Não são as pessoas que nos ferem, somos nós que nos deixamos ferir.

Quem toma conta deste ego dentro de nós somos nós mesmos. Nós podemos evitar o ferimento ou deixar-nos ferir interiormente.

O que é depressão?

O segredo de se ter uma saúde psíquica perfeita é conservar bem o nosso ego, não deixando que ele seja ferido, conservando assim a nossa personalidade. O depressivo está ferido em seu ego e em conflito com seu superego.

O que é o superego?

O superego é tudo aquilo que eu gostaria de ser, o ideal do ego e aquilo que desejamos que se realize em nossa vida.

É por meio do superego que nós nos relacionamos com os nossos pais, amigos, parentes, autoridades e com a sociedade.

O superego é também a nossa "consciência moral". Devo fazer isto ou não devo? É o assumir o nosso futuro certo ou errado. Enfim o superego é tudo aquilo que nós desejamos que aconteça em nossa vida.

Agora nós podemos entender melhor a definição de depressão.

A depressão é um conflito entre o ego e o superego. Vamos dar um exemplo: determinada moça tem um namorado. Ela ama e admira este moço. É o presente, é a ação do ego dentro dela. Esta mesma moça tem os seus sonhos: "Vou casar, vou ter uma vida a dois, vou ser feliz". É o futuro, é o superego.

Mas o sonho não se realizou. O moço foi embora, tudo terminou. O ego entra em conflito com o superego. Aquela moça entra num complexo de perda. Perdeu o namorado, a felicidade e o futuro promissor. O complexo de perda, que provoca o conflito entre o ego e o superego, é a porta para entrar em depressão. Aquela moça já está em depressão. Sua vida passa a ser um infortúnio. Seu futuro está escuro; tudo é horror. Sente um fracasso muito grande e sua vida torna-se inútil. O conflito ainda continua. Ela começa a se culpar: "Eu fiz isto de errado"... "Não deveria ter feito aquilo"... Entra num outro complexo, o complexo de culpa. Ela banca um advogado e faz processo contra si mesma. Mais ainda: ela se julga vítima, coitadinha, infeliz, abandonada. É a última de todas, sua vida não tem mais sentido. Esta moça entrou num complexo de perda, num complexo de culpa e num complexo de vítima. Tudo isto porque dentro dela existe um conflito entre o ego e o superego. Não quer mais viver (presente), não quer mais namorar e tem medo do futuro.

A depressão e o complexo de fúria

Um senhor com mais de quarenta anos entrava todos os anos numa depressão cíclica. Os dias depressivos do ano eram os seguintes: dia das mães, dia do aniversário dele, Páscoa e Natal.

Este senhor, nesses dias do ano, acordava às 4h30min sentindo-se mal e com uma grande angústia. Saía da cama e ia para a sala de visitas, onde estava um quadro de sua mãe. Depressivo, angustiado, olhava para o retrato da mãe e chorava muito. Depois de mais de uma hora de luta, angústia, choro,

O que é depressão?

ele chegava ao desespero e entrava em fúria. Quebrava tudo o que encontrava em sua frente. Durante três dias, no mínimo, ele ficava trancado em casa e, para não entrar ninguém, colocava um enorme cachorro na porta de entrada. A esposa, que já estava acostumada com as crises do marido, saía de casa com os filhos e ia para a casa de seu pai, onde ficava no mínimo uma semana, até passar a crise depressiva do marido.

Foi numa dessas ocasiões que um vizinho me chamou, pedindo socorro, para ver aquele homem fechado em casa e guardado por um enorme cachorro.

Cheguei à casa do doente. Chamei-o pelo nome. Ele apareceu, e quando me viu ficou contente. Convidou-me para entrar na casa. Entrei. Que horror! Tudo arrebentado. Cadeiras quebradas, mesas viradas, pratos quebrados pelo chão, quadros dependurados de cabeça para baixo. As paredes estavam molhadas e sujas. Os armários estavam abertos e quebrados. Quando cheguei à cozinha a desordem era geral, e brincando com o dono da casa perguntei: "Como você conseguiu colocar aquele ovo despedaçado lá em cima da lâmpada?" Foi só risada...

Ali começou a terapia daquele homem depressivo, doente e furioso. Fomos descobrir a causa de tudo isto.

Dentro do útero materno, o feto foi amado e querido pelo pai e pela mãe. O parto foi muito difícil, e a mãe ficou doente. Este fato era sempre lembrado por seus familiares: "Sua mãe ficou doente quando você nasceu".

Quando o garoto tinha seis anos, sua mãe faleceu. Uma tia logo o acusou: "Você matou sua mãe". A mãe havia morrido às 4h30min. Esta acusação, este complexo de culpa e o horário da morte de sua mãe ficaram embutidos no inconsciente deste menino.

Depois de muitos anos, tudo aflora: sente-se mal às 4h30min, cai em depressão por causa do complexo de culpa: "Eu matei a minha mãe" e o quadro da mãe na parede da sala faz reviver todo um passado e a voz da tia: "Você matou a sua mãe". O conflito interno é muito grande: "Eu não fiz isto, eu não mereço isto, eu não quero saber de nada disto". O resultado foi a fúria e o desabafo, quebrando tudo o que encontrava na frente. Depois de quebrar tudo, sentia um alívio. Fui com aquele senhor até a sala de visita: lá estava o quadro de sua mãe intacto. Ele a amava muito.

Depois que tudo foi analisado, nunca mais teve mal-estar, depressão e nem fúria. O complexo de culpa foi totalmente tirado.

5
A DEPRESSÃO EXISTE DESDE O COMEÇO DA VIDA DO HOMEM SOBRE A TERRA

Adão, o primeiro homem da história da humanidade, quando pecou percebeu que estava nu. Escondeu-se. Deus, aparecendo para ele, perguntou: "Adão, onde estás?" Adão respondeu: "Percebi um ruído no jardim e tive medo, porque estou nu e me escondi" (Gn 3,9).

É próprio da pessoa depressiva ter medo e isolar-se. Adão e Eva foram expulsos do paraíso terrestre. Os dois tristes saíram do paraíso para enfrentar a vida sozinhos.

Jacó também teve de enfrentar a depressão quando viu a túnica de seu filho José rasgada e coberta de sangue. Os filhos de Jacó venderam seu irmão José aos egípcios como escravo. Para enganar o pai, eles rasgaram a túnica do irmão e mancharam-na de sangue dizendo: "Uma fera, um leão, devorou José e aqui está a sua túnica ensanguentada".

Vendo a túnica de seu filho José, Jacó rasgou as suas vestes, vestiu-se de saco e pôs luto durante um longo tempo. Todos os seus filhos e filhas apresentaram-se para consolá-lo, mas ele não queria consolo e dizia: "Chorando, descerei com meu filho debaixo da terra" (Gn 37,34-35).

A pessoa depressiva chora e deseja a morte.

A depressão de Jó

Jó era um homem honesto e temente a Deus. Tinha sete filhos e três filhas. Possuía sete mil ovelhas, três mil camelos, quinhentas jumentas, quinhentos bois e muitos escravos. Era riquíssimo (Jó 1,3).

Ele perdeu tudo. Desesperado, rasgou seu manto, raspou a cabeça e, prostrado por terra, disse: "Nu saí do ventre de minha mãe e nu voltarei para lá" (1,20). Jó ficou doente e depressivo.

"Maldito o dia em que me viu nascer" (3,4). "Que trevas e escuridão se apoderem de mim" (3,5). "Por que não morri no seio materno? Por que não pereci saindo de suas entranhas?" (3,11). "Não tenho paz, nem descanso, nem repouso, só tenho agitação" (3,26). "Minha carne se cobre de podridão e de imundície, minha pele racha e supura" (7,5). "Meu rosto está vermelho de lágrimas, e a sombra da morte estende-se sobre minhas pálpebras" (16,16). "O sopro de minha vida vai-se consumindo, os meus dias se apagam, só me resta o sepulcro" (17,1).

A depressão existe desde o começo da vida do homem sobre a Terra

O depressivo cai num poço emocional muito profundo. Amaldiçoa os dias de sua vida e quer apenas morrer e entrar numa sepultura.

Sabemos pela história que Jó recuperou-se da depressão, começou a viver novamente e recuperou toda a sua riqueza.

Jesus não entrou em depressão

Jesus também sofreu tristezas e angústias no jardim das Oliveiras e no alto do Calvário, mas, na minha opinião, não entrou em depressão.

Depois que Jesus previu a negação de Judas e de Pedro, dirigiu-se ao jardim das Oliveiras. Tomando consigo Pedro, Tiago e João, foi para um lugar deserto e disse: "A minha alma está triste até à morte. Ficai aqui e vigiai comigo". Adiantou-se um pouco, e, prostrando-se por terra, assim rezou: "Meu Pai, se é possível, afasta de mim este cálice".

Apareceu-lhe então um anjo do céu, para confortá-lo. Jesus entrou em agonia e orava com mais insistência e seu suor tornou-se como gotas-de-sangue, a correr sobre a terra (Lc 22,44).

Jesus venceu a depressão, a angústia, levantou-se, acordou os apóstolos e enfrentou os soldados, a prisão e o suplício da cruz.

A depressão de Judas

Nós sabemos pela história que Judas Iscariotes recebeu dinheiro para entregar Jesus e com um beijo entregou o seu mestre.

Depressão tem cura: liberte-se o quanto antes

A Bíblia diz: "Judas, o traidor, vendo Jesus, que foi condenado à morte, tomado de remorsos, foi devolver aos príncipes dos sacerdotes e aos anciãos do povo as trinta moedas de prata, dizendo-lhes: 'Pequei, entregando o sangue de um justo'. Responderam-lhe: 'Que nos importa? Isto é lá contigo!' Judas atirou as moedas de prata no templo, saiu e se enforcou" (Mt 27,3-5).

Judas entrou num grande complexo de culpa, condenou-se a si mesmo e suicidou-se.

É próprio do depressivo ter três complexos: complexo de perda, complexo de culpa e complexo de vítima. Somente superando esses três complexos o depressivo poderá sair da depressão.

O complexo de culpa e a depressão

Um moço, numa cidade do interior de Minas Gerais, vivia sempre triste, pouco falava e guardava dentro de si algum problema. Todos da família já estavam acostumados a vê-lo sempre triste.

Um dia ele foi até ao cemitério de sua cidade, viu um enxadão e sentiu um desespero. Foi até ao túmulo de sua mãe. Com o enxadão, arrebentou o túmulo de sua mãe e quando apareceu o caixão, colocou a mão sobre ele; sentiu um alívio e começou a chorar.

O coveiro chamou-lhe a atenção e várias pessoas reuniram-se em volta dele. Em pouco tempo a cidade toda já estava sabendo do acontecimento, e todos condenavam a atitude louca daquele rapaz.

A depressão existe desde o começo da vida do homem sobre a Terra

Depois desse acontecimento, trouxeram para mim esse rapaz para um tratamento psicológico. Foi feita a regressão. Dentro do útero materno tudo normal. Gestação perfeita. O nenê é amado e querido pelo pai e pela mãe. Parto normal. O problema estava entre os dez e onze anos de idade. Aquele menino era um garoto vivo e inteligente. Não parava em casa e gostava muito de brincar na rua com os seus colegas. A mãe ficava sempre nervosa com ele, mas o garoto escapava e ia brincar na rua. A mãe sofria do coração. Um dia teve de repente um enfarto e morreu. O filho estava na rua brincando.

Quando o garoto voltou para casa viu muitas pessoas reunidas, e, ao entrar em casa, qual não foi o seu espanto quando viu sua mãe morta, estendida em um caixão. Uma vizinha aproximou-se dele e disse: "Viu o que você fez? Você matou sua mãe". O garoto chorando desesperadamente entrou no quarto.

Quando o enterro foi sair, ele queria aproximar-se do caixão e tocar em sua mãe. Mas foi impedido por várias pessoas e, chorando, viu sua mãe ser levada para o cemitério.

Duas portas foram abertas: o complexo de culpa e o complexo de perda. O garoto vivo e inteligente entrou para o buraco fundo da depressão.

Conversando com este moço, eu o elogiei pela coragem de ter arrebentado o túmulo de sua mãe. "Você fez uma terapia.

Há muito tempo você guardava dentro de si o desejo de tocar no caixão de sua mãe. Você fez uma terapia: arrebentou o túmulo e colocou a mão no caixão de sua mãe. Mais ainda: você não tem culpa nenhuma da morte de sua mãe. Ela sofria do coração e podia morrer de repente, a qualquer hora. E você não perdeu sua mãe. Ela está lá no céu, rezando por você, que foi sempre o filho querido dela."

A fisionomia do moço mudou e começou a sorrir.

Nova vida... novo modo de pensar... de dentro de um túnel ele viu uma luz. Voltou para casa contente e feliz.

A depressão tem cura? Tem sim.

6

A DEPRESSÃO ATINGE MUITAS PESSOAS

A depressão é uma doença que pode atingir qualquer pessoa em todas as idades. Atinge mais as mulheres do que os homens, porque elas são mais sensíveis. Mas os homens são atingidos, muitas vezes, por depressões mais profundas.

Depressão dentro do útero materno

Qualquer mãe, três dias depois do parto, poderá sentir uma tristeza chamada "síndrome do terceiro dia". Esta tristeza não é depressão, mas uma crise psicológica, consequência de uma desordem biológica ou neurobiológica.

O esforço para uma mãe dar à luz uma criança é muito grande. Os sintomas desta tristeza são: vontade de chorar, esgotamento físico e psíquico, e muita tristeza.

Estes sintomas poderão trazer para a mãe uma irritabilidade passageira. Como dissemos, esta tristeza, "síndrome do terceiro dia", não é depressão.

Em pouco tempo a mãe recupera suas forças, seu equilíbrio emocional e a vontade de viver feliz.

O que é depressão pós-parto?

Para nós compreendermos bem a depressão pós-parto, vamos colocar aqui as mulheres mais propensas a esta depressão.

A depressão pós-parto atinge especialmente as mulheres com menos de vinte anos de idade e geralmente na primeira gestação. Estas mulheres já estavam com predisposição para entrar em depressão. Geralmente tiveram uma rejeição intrauterina paterna ou materna, problemas na infância, ou já sofreram antes alguma espécie de conflito. Quando vão dar à luz elas revivem, no inconsciente, todo um drama já vivido em sua gestação.

As mães solteiras precisam ser muito bem preparadas durante a gestação, para não sofrerem depois a depressão pós--parto. A gestante solteira poderá sofrer o trauma de uma gestação não desejada, a separação do namorado que não assumiu a paternidade, o conflito dos pais e parentes que não aceitam esta gestação fora do matrimônio. Muitas vezes sofre a penúria da pobreza e a falta de alimentação adequada durante a gestação. Estas mulheres muitas vezes têm um trauma de separação, perda de um parente e até o trauma da violência dos pais ou de um amante doentio.

A depressão atinge muitas pessoas

Se estas mulheres não tiverem uma boa preparação no pré--natal, estarão sujeitas a uma das mais horríveis depressões, que é a depressão pós-parto.

A mãe, vendo a criança, poderá ter fortes crises de choro. Uma ansiedade com complexo de culpa e de incapacidade poderá tomar conta daquele coração inexperiente e sem formação. Junto com uma depressão forte poderão entrar a fadiga e o esgotamento, acompanhados de muita angústia. A irritabilidade pode ser tanta que a mãe tem um medo irracional de machucar o nenê. A depressão pós-parto é uma das piores depressões e atinge totalmente a doente em sua vida física e psíquica.

Os médicos, as enfermeiras, as parteiras, poderão ajudar estas mulheres para que depois do parto não entrem nesta doença horrível que se chama depressão pós-parto.

Depressão juvenil

A depressão poderá atingir todas as pessoas e poderá atingir também o jovem. É uma depressão especial? Não. É uma depressão como as outras, mas que atinge a idade juvenil. A depressão não chega de repente. Geralmente a pessoa já apresenta uma predisposição para recebê-la. O jovem que tem um problema psicológico desde a infância, um conflito com os pais ou uma revolta por causa de um acontecimento no passado, já está predisposto a ter uma depressão juvenil.

A tristeza toma conta deste jovem e, logo em seguida, vem a perda da vontade de viver. Este jovem depressivo poderá ter vários comportamentos doentios: agressividade, sexualidade perturbada com frieza ou exagero sexual. A droga passa a ser uma fuga, para ter algum alívio. A fuga de casa poderá acontecer, pois o jovem culpa os pais e pensa que fora de casa vai ter alívio. O jovem depressivo poderá fazer uma outra fuga: fechar-se no quarto e, muitas vezes, passa a ouvir música dia e noite. A alimentação é perturbada: ou o jovem come demais, com compulsão para a bebida ou para a comida, ou perde o apetite e pouco se alimenta. Nestes casos a bebida alcoólica passa a ser mais uma fuga.

Muitas vezes, dependendo do caso, a depressão juvenil poderá ser acompanhada de perturbações físicas como dores, fadigas e vertigens.

Os jovens entre quinze e dezenove anos têm mais propensão para o suicídio.

O jovem, quando bem orientado, poderá superar a depressão e levar uma vida normal para o resto da vida. Mas o jovem que se fecha em si mesmo, que não aceita o diálogo, responde com insultos e provocações e não aceita nenhum conselho. É claro que este jovem perde o interesse pela vida, pela escola e pelo esporte. Sua cabeça pesada não assimila as aulas e as consequências são muitas: abandono dos estudos ou matança contínua das aulas. O isolamento vai aumentando e a depressão, se não for tratada, poderá entrar num poço muito profundo.

A depressão atinge os profissionais

O mundo do trabalho é uma realidade. A correria para ganhar dinheiro e vencer na vida é intensa. Muitos se sacrificam, dormindo pouco e trabalhando mais de oito horas por dia.

Todas as categorias de profissionais, se não tomarem o devido cuidado, poderão entrar, a qualquer momento, em depressão. Entre estes profissionais destacamos: profissionais liberais, professores, funcionários públicos que lidam diretamente com o povo, operários que trabalham em série. As mulheres profissionais estão mais sujeitas à depressão, porque saindo do trabalho, têm de continuar a trabalhar em casa como esposa, mãe e dona de casa.

O primeiro sinal da neurose depressiva é a insônia. Em seguida vem a fadiga geral física, moral e intelectual... Aparecem também dores generalizadas, perda do interesse pela vida e começam a aparecer pensamentos suicidas. Os profissionais podem viver muitos anos em conflito, sem resolver estas situações. Conflito financeiro. O que ganha não dá para ter uma vida confortável e as dívidas aumentam a cada dia. Conflito no trabalho e em casa, na família. Não há mais lugar para o descanso necessário.

Muitos pensam só no trabalho e para eles férias não existem. Não sabem que as férias são tão importantes como o trabalho.

Aqueles que querem crescer financeiramente, o mais rápido possível, entram num círculo vicioso e não mais repousam convenientemente e não têm mais lazer nem distração.

Os profissionais deveriam fazer, de vez em quando, uma parada e um levantamento de como estão vivendo a vida. Como estou vivendo no trabalho e em casa? A minha vida tem sido bem vivida ou eu estou me matando? O meu dia consiste em oito horas para dormir, oito horas para trabalhar e para fazer as outras coisas, entre elas o lazer?

A experiência ensina-nos: precisamos cuidar não somente da saúde física, mas também da saúde psíquica, senão a vida perde o sentido de ser vivida.

A depressão na vida idosa

Assim como a criança precisa de muito carinho, também a pessoa idosa. O idoso ou a idosa que não recebeu carinho dentro de casa, ou não trabalhou consigo mesmo para tirar os defeitos de caráter, poderá ter uma vida idosa acompanhada de muita depressão.

Nós podemos distinguir duas espécies de idosos.

Primeiro, o idoso que durante sua vida trabalhou consigo mesmo e conseguiu tirar os seus defeitos de caráter. Este idoso poderá ter uma saúde psíquica muito boa. É uma pessoa que se comunica, está sempre alegre, faz sempre alguma coisa para ajudar em casa ou fora, vive sua vida e deixa viver e está sempre contente e satisfeito.

Em segundo lugar, vemos o idoso que cultivou durante toda sua vida os seus defeitos de caráter, vive num estado de nervo

A depressão atinge muitas pessoas

muito grande, entra em desequilíbrio emocional e vive numa neurose que chega a judiar de si e das pessoas que ele quer bem. As pessoas que convivem com estes idosos psiquicamente doentes chegam ao ponto de não aguentarem mais. O conflito é constante e a falta de paz leva este idoso a tornar-se cada vez mais nervoso, neurastênico, isolado e desanimando.

E como consequência este idoso entra em depressão profunda, fecha-se, não conversa mais com ninguém e passa meses e meses sem comunicar-se.

O N.A. (Neuróticos Anônimos), em seu sétimo passo, apresenta uma lista de defeitos de caráter que levam ao desequilíbrio emocional: imaturidade, egoísmo, orgulho, incapacidade de amar, intolerância, cobiça, inveja, vaidade, falsidade, hipocrisia e fúria.

Não é a doença emocional que faz a pessoa ter estes defeitos, mas são os defeitos de caráter que levam a pessoa a ter a doença emocional, como a neurose.

No décimo passo, o N.A. apresenta-nos uma nova lista de defeitos de caráter que levam as pessoas a ter um desequilíbrio emocional. Estes defeitos são: autopiedade, arrogância, grandiosidade, condenação própria, desonestidade, impaciência, ódio, ressentimentos, falso orgulho, ciúme, inveja, preguiça, irresponsabilidade, insinceridade, pensamentos negativos, pensamentos maus, vulgares e imorais.

Muitas pessoas cultivam esses defeitos durante toda a vida e quando chegam à idade de quarenta, cinquenta, sessenta anos, são intoleráveis, porque com o passar dos dias esses defeitos vão aumentando cada vez mais.

Mas há muitas pessoas que trabalham com seus defeitos de caráter e quando chegam à velhice, são pessoas equilibradas, bem-humoradas e felizes.

7
COMO SAIR DA DEPRESSÃO

A depressão é uma doença curável e a pessoa deprimida poderá sair deste poço emocional. Eu vou colocar aqui uma escada e o depressivo, se quiser, poderá utilizá-la e sair deste buraco, que é a depressão.

A depressão é um conflito interno entre o ego e o superego. É totalizante, isto é, ela toma conta de todo o corpo da pessoa depressiva e assim nós temos a somatização.

Para sair do conflito interno entre o ego e o superego, o depressivo precisa tirar três complexos: o complexo de perda, o complexo de culpa e o complexo de vítima.

Tirar o complexo de perda

O complexo de perda é a porta para se entrar em depressão. Perdeu o namorado, a mãe, o pai, o filho. Perdeu dinheiro, o emprego, ou aposentou-se, perdendo os companheiros de serviço e o campo de trabalho. Todas estas perdas poderão levar muitas pessoas à depressão. Como tirar o complexo de perda? Trabalhando consigo mesmo.

Vamos dar alguns exemplos.

Perdi o namorado? Que bom. Há tantos moços por aí melhor do que este. Não vou casar-me com alguém que não gosta de mim.

Perdi minha mãe? Não, pois ela já cumpriu sua missão na terra, foi chamada por Deus e agora está lá no céu, melhor do que nós aqui na terra. Um dia estaremos todos juntos com Deus, naquela comunidade perfeita, que é o céu.

Perdi dinheiro? Sim, mas há muito dinheiro no mundo. Vou trabalhar; não vou ficar parado e este dinheiro vai voltar duplicado.

Perdi o emprego? Este, sim. Mas há muitos outros empregos melhores do que este.

O depressivo, com um complexo de perda, poderá fazer uma terapia consigo mesmo e libertar-se deste complexo, que é a porta para se entrar em depressão. Como estamos percebendo, depende da pessoa depressiva querer sair da depressão. Com um trabalho consigo mesmo e com a ajuda de um profissional, a depressão poderá desaparecer para nunca mais voltar.

Tirar o complexo de culpa

Outro complexo do qual a pessoa depressiva precisa libertar-se é o complexo de culpa. Geralmente o depressivo fica numa luta dentro de si. Eu errei... Eu não deveria ter feito isto... A pessoa chega a travar um ou muitos processos contra si mesma e chega a condenar-se. O depressivo banca o advogado e faz demandas contra si; banca o juiz e condena-se. O complexo de culpa é horrível, negativo e antinatural. O arrependimento, sim, é algo maravilhoso e positivo. A pessoa que errou pede perdão a Deus por sua falta. Confia em Deus e coloca seu erro na infinita misericórdia do onipotente. A pessoa sente o alívio, a presença de Deus em sua vida e o perdão de seus pecados. O complexo de culpa é negativo e destrói psicologicamente a pessoa que errou. Para ficarmos livres da depressão, precisamos tirar o complexo de culpa.

Tirar o complexo de vítima

Um outro complexo que prejudica muito a pessoa depressiva é o complexo de vítima. A pessoa julga-se vítima, coitadinha, infeliz, abandonada, a última, lá no fundo do poço. Com o complexo de vítima a pessoa destrói-se, afunda-se e passa a enxergar tudo escuro.

Ninguém pode julgar-se vítima, infeliz, abandonado. Nós podemos começar vida nova, levantar a cabeça e sair da depressão. Depende da pessoa depressiva querer ou não. Ninguém vai entrar dentro do poço emocional para tirar alguém. O que podemos fazer é dar uma escada para que a pessoa possa subir. Mas repetimos: quem vai subir a escada é quem está dentro do poço. Isto é possível? Sim, é possível.

Para superar o conflito interno entre o ego e o superego, temos de tirar os três complexos: complexo de perda, complexo de culpa e complexo de vítima. Tirando esses complexos a pessoa depressiva já começa a sentir alívio, vontade de viver e o mal-estar do corpo já começa a desaparecer.

Pedofilia e depressão

Uma menina de onze anos, cuja mãe já havia morrido, foi abusada sexualmente por seu pai. Ela entrou numa depressão profunda. Vivia somente na cama. A pedido de algumas senhoras, fui visitar esta menina, que já estava de cama há nove anos.

A moça, agora com vinte anos, conversou comigo e contou sua história, mas sempre com a cabeça coberta por uma colcha.

Depois de dois dias, voltei novamente àquela casa. A moça depressiva conseguiu conversar comigo mostrando os olhos.

Depois de uma semana, voltei novamente para fazer uma terapia com aquela pobre menina. Ela já conseguiu mostrar o seu rosto e conversou melhor. Queria sair daquela situação.

Três dias depois, qual não foi o meu espanto quando vi aquela menina, malvestida, com medo e vergonha, entrar na igreja numa hora de bastante sossego. Cumprimentei-a e elogiei-a .

Ela estava salva. Daquele dia em diante foi saindo do poço e começou a viver sua vida novamente.

Um pai doente sexualmente quase acaba com a vida de uma filha.

8

PARA UMA PESSOA SAIR DA DEPRESSÃO, ELA PRECISA AMAR-SE

A pessoa que não se ama está fora de órbita, está destruindo-se, não tem condição de viver e, pior ainda, está matando-se aos poucos. A pessoa que não tem amor a si mesma e não se aceita como é não tem condição de viver, tudo fica parado e nada vai para a frente. Vamos mostrar como é importante o amor a si mesmo.

Certo dia um doutor da Lei, isto é, um advogado, aproxima-se de Cristo e pergunta: "Mestre, qual é o grande mandamento, a lei magna, a carta magna do mundo?" Jesus dá a resposta: "Amarás ao Senhor, teu Deus, de todo o teu coração, de toda a tua alma e de todo o teu espírito. Amarás a teu próximo como a ti mesmo" (Mt 22,35; Mc 12,29; Lc 10,27). A ti mesmo... o amor começa consigo mesmo. Depois que nós amamos a nós mesmos, vamos amar o próximo e no próximo amamos a Deus. O amor começa conosco mesmo. Isto se chama autoestima.

É impossível alguém amar a Deus se não se ama e não ama o próximo. É impossível passar por cima de nós mesmos e do próximo para amar a Deus. Por isso o próprio Cristo diz no Evangelho: "Se alguém está diante do altar e lembrar que tem alguma coisa contra o seu irmão, deixe o sacrifício, vá primeiro se reconciliar com seu irmão e depois volte par oferecer o sacrifício".

A pessoa que não se ama não tem capacidade para amar o próximo. Não ama a ninguém, porque não se ama. E o pior de tudo é que a pessoa que não se ama não se deixa ser amada por ninguém. Por isso dizemos que a pessoa que não se ama está fora de órbita, fora da carta magna do universo.

A pessoa que quer sair da depressão precisa começar a se amar e se valorizar. Senão a pessoa depressiva começa a judiar de si e a se matar.

Nós temos um impulso para a morte, porque um dia nós vamos morrer. Ao mesmo tempo, nós temos um impulso para a vida, porque nós recebemos o dom da vida. Quem não se ama para de viver e passa a ter pensamentos negativos de morte. Muitos têm pensamentos suicidas e imaginam que a morte é a solução para todos os problemas.

Na depressão a solução não é a morte, mas, sim, a vida. A depressão é a causa de muitos suicídios no mundo. Isto é fácil de ser compreendido, porque quem não vive está se matando.

Para uma pessoa sair da depressão, ela precisa amar-se

Vamos viver a nossa vida e viver plenamente com Deus. A vida não é o passado nem o futuro, mas o presente. A vida tem apenas vinte e quatro horas por dia: oito horas para dormir, oito horas para trabalhar e oito horas para fazer as outras coisas. Quem não vive, está se matando e quem se mata é um suicida.

Assim podemos dizer: para uma pessoa sair da depressão, ela precisa viver sua vida, viver só o tempo presente e não viver o passado. E para a pessoa viver, precisa valorizar-se. A pessoa que não se valoriza está se destruindo.

Agora, quem vive sua vida verdadeiramente, deixa os outros viverem. Quem vive a vida dos outros passa a ser peteca de todas as pessoas. Mais ainda: quem vive sua vida não se fecha. "Fechou-se, embolorou-se." "Quem não se comunica, se estrumbica."

A vida é comunicação. A pessoa humana por natureza é social. Precisamos comunicar-nos, contar o que se passa dentro de nós e desabafar.

Resumindo, podemos dizer: para uma pessoa sair da depressão, é necessário tirar três complexos: complexo de perda, complexo de culpa e complexo de vítima; amar a si mesma e aceitar-se como é; valorizar-se, evitando a autopiedade e o dó de si mesma; e é necessário, ainda, viver a vida e deixar os outros viverem. Nunca se fechar, mas comunicar-se o máximo.

Depressão tem cura: liberte-se o quanto antes

A depressão poderá levar ao suicídio

Terminei uma reunião das equipes de Nossa Senhora mais de onze horas da noite, quando um casal pediu-me para ir a uma casa ajudar um moço. Chegando a casa, o moço havia dado um tiro dentro da boca. A cena era chocante: a bala havia saído no alto da cabeça daquele moço.

O que aconteceu? Aquele moço, que era um policial militar, namorava uma moça da Polícia feminina. Os dois trabalhavam quase sempre juntos.

Um dia, durante o serviço militar, houve um choque entre bandidos e soldados. A policial que ele estava namorando recebeu um tiro e morreu.

O fato foi um choque muito grande para aquele moço. Não deu outra: ele entrou em depressão. Sua tristeza era tão grande que preocupava a sua família e a família da namorada.

Para aliviar a dor daquele moço, as irmãs da falecida convidaram-no para ir a um baile. Tudo era festa, o baile estava animado...

O antigo namorado estava bem, mas de repente ele viu uma irmã da falecida com o vestido que a namorada usava nas festas. Foi o suficiente para ele entrar em depressão, numa tristeza muito grande. Não deu outra. O namorado, o soldado, foi até ao banheiro, sacou o resolveu e pôs a arma na boca. Todos ouviram o tiro e foi aquela correria. O soldado foi levado para o hospital.

Para uma pessoa sair da depressão, ela precisa amar-se

Que sorte. O tiro não atingiu a garganta nem a coluna vertebral, mas entrou pelo céu da boca, passou ao lado da vista esquerda e saiu pela cabeça, acima da orelha esquerda. O moço estava salvo. Não perdeu a visão nem a audição. A bala não parou no cérebro.

Mais de meia-noite e eu estava conversando com aquele moço. "Você não perdeu sua namorada. Ela já está lá no céu. Foi sacrificada, como Cristo também foi sacrificado e morto e está rezando por você e certamente rezou quando você colocou o cano do revólver dentro de sua boca. A bala, para percorrer este caminho, sem prejudicar sua vista e seu cérebro, é porque houve uma proteção de Deus. E você não tem culpa de nada disto, porque quando a pessoa está em profunda depressão perde todo o sentido da vida. Tenho certeza de que sua namorada quer que você viva de agora em diante uma vida nova, feliz e contente."

9
A DEPRESSÃO TEM CURA

Como já dissemos, a depressão consiste em um conflito interno entre o ego e o superego. Portanto o que está doente dentro do depressivo é o ego. Ele pode estar ferido, despersonalizado e machucado há muito tempo. Se o ego do depressivo está doente, ele poderá cair, e geralmente cai, em dois defeitos de caráter: egoísmo e egocentrismo.

Para sair da depressão, o depressivo tem de evitar todo o egoísmo e egocentrismo. A vida não é como nós queremos. O depressivo, egoisticamente, fica reclamando de tudo: "Aquele namorado não podia abandonar-me". "A minha mãe não podia morrer agora. Ela deveria viver mais e morrer somente no dia em que eu permitisse." "O meu patrão foi injusto, ele não podia me mandar embora."

O depressivo é extremamente egoísta e tudo tem de acontecer como ele quer.

Reflitamos um pouco. A vida não é como nós queremos. Nós poderíamos nascer lá na África e ser uma negra ou negro bonito; nascer no Japão e ter uma estatura baixa e os olhos puxados; nascer na Rússia e ser um homem alto com cabelos vermelhos, ou ainda nascer lá no mato, no Amazonas, e ser um índio ou uma índia.

A vida não é como nós queremos e nunca vai ser. Nós temos de viver a vida do jeito que ela se nos apresenta.

Mais ainda. Para acabarmos com nosso egoísmo, precisamos lembrar que poucas coisas nós escolhemos aqui neste mundo. Eu não escolhi meu pai nem minha mãe. Eles me foram dados de presente. Eu não escolhi meu nome, nem mesmo ser homem ou ser mulher. Não escolhi minha altura, minha cor. A única coisa propriamente que o homem escolhe é a sua esposa, e a mulher o seu marido. E assim mesmo muitos erram e depois se separam.

Diante de tudo isto nós podemos chegar a uma conclusão: temos de acabar com o egoísmo, que nos faz sofrer. Para acabarmos com o egoísmo, precisamos lembrar: ninguém precisa amar-nos, compreender-nos ou dar-nos atenção. É muito comum ouvirmos da pessoa depressiva estas palavras: "Ninguém me ama, ninguém me compreende, ninguém me dá atenção". Pobre egoísta, como sofre!

Mas sabemos que nós precisamos de amor e carinho para termos uma vida psíquica com saúde. Como seremos amados e compreendidos?

No ano 1200 já existia um homem que deu uma lição ao mundo inteiro e muitos, até hoje, não compreenderam a lição deste santo. Este homem chamava-se Francisco de Assis.

Sua lição foi esta:

É amando que somos amados.
É compreendendo que somos compreendidos.
É dando atenção que vamos receber atenção.
É perdoando que somos perdoados.
É dando que recebemos.
É plantando que colhemos.

Mas muitos egoístas querem colher sem plantar. Querem ser compreendidos sem compreender. É preciso sair do egoísmo, e sairemos dele lembrando que é amando que seremos amados. Mais ainda. Para sairmos do nosso egoísmo, precisamos lembrar que ninguém precisa viver, agir, comportar-se, falar e pensar como nós queremos. Nós vamos viver a nossa vida e vamos deixar os outros viverem.

As pessoas que exigem comportamento, modo de viver e modo de pensar das outras pessoas tornam-se petecas, e ficam num estado de nervo muito grande, porque ninguém vai viver, pensar e falar como nós queremos.

Para concluir e ao mesmo tempo evitar a depressão futura, nós precisamos chegar à seguinte conclusão: de agora em diante eu tenho de evitar ficar contrariado, aborrecido e chateado. A pessoa que vive contrariada, aborrecida e chateada já está vivendo no egoísmo.

Resumindo, faça uma terapia consigo mesmo, todos os dias. Para sair da depressão:

1ª Escada: Tirar três complexos:

- perda   • culpa   • vítima
- Você não perdeu nada.
- Não faça processo contra você mesmo.
- Você não é vítima, coitadinho, infeliz, abandonado, lá no fundo do poço.

2ª Escada: Amar a você mesmo. Valorizá-lo.

- Aceitar você como você é.
- Viver sua vida e não a vida dos outros.
- Não se fechar. Fechou, embolorou.
- Comunicar-se o máximo.
- Querer morrer no dia em que eu quero é um egoísmo terrível.
- A morte não é solução.

3ª Escada: Toda pessoa depressiva é extremamente egoísta.

- A vida não é como nós queremos que ela seja.
- Ninguém precisa me amar,
- compreender ou me dar atenção.
- É amando que somos amados.
- Ninguém precisa viver, agir, comportar-se,
- falar e pensar como eu quero.
- Tenha coragem de mudar.
- Coloque Deus em sua vida.
- Evite ficar aborrecido e contrariado.
- Ficar assim já é um sinal de egoísmo.

Você vai ser feliz para sempre, com a ajuda de Deus.

10

É PRECISO SABER VIVER

A pessoa humana tem uma vida corpórea e uma vida psíquica. *Psique* em grego quer dizer *alma*. Portanto a pessoa humana precisa viver no corpo e na alma. Ela poderá ser ferida em seu corpo e depois fazer um curativo e ficar livre do ferimento. Mas poderá também ser ferida em seu íntimo e levar aquele ferimento para o resto da vida, sofrendo e muito. Vemos aqui um ferimento do corpo e um ferimento da alma.

Geralmente as pessoas recebem formação para cuidar do corpo. Estudar, ter um bom emprego, ter sua alimentação todos os dias, casar bem e viver com saúde. Tudo ótimo, tudo maravilhoso.

Mas são poucas as que recebem uma boa formação para viver bem em seu interior. É necessário saber viver, senão sofrem sem necessidade.

Seguem aqui alguns ensinamentos para saber viver bem psiquicamente.

Autoestima

Um dia um doutor da Lei chegou diante do Cristo e fez-lhe uma pergunta jurídica: "Mestre, qual é o grande mandamento, a carta magna, que todos devem estar dentro?" Cristo com toda a sua capacidade deu a resposta àquele doutor da Lei, advogado: "O grande mandamento é: 'Amar a Deus acima de todas as coisas e ao próximo como a si mesmo'" (Dt 6,5; Mt 22,34-40; Lc 10,25-28).

O amor começa consigo mesmo. Deus criou cada um de nós, e cada pessoa tem uma missão na terra. Cada pessoa é importante. Não existe nenhuma pessoa igual a outra, cada uma é diferente.

Nós temos de nos amar, amar a todas as pessoas, até os nossos inimigos, e a Deus acima de todas as coisas.

A pessoa que não se ama, não ama o pai nem a mãe, nem o esposo ou marido, nem os filhos e amigos. O pior de tudo é que a pessoa que não se ama, não ama ninguém e não se deixa ser amada por ninguém.

A autoestima, o amor a si mesmo, é importantíssimo na vida de uma pessoa. Senão ela fica se matando todos os dias.

A pessoa que não se ama está sujeita a muitos sofrimentos internos, especialmente a depressão.

Nunca se deixar ferir no seu eu

Todos têm dentro de si um eu chamado ego. Este eu está bem no íntimo do nosso ser. É este eu que me faz ser eu. É este eu que me dá personalidade. Este eu é eterno. Quando eu sair deste mundo, eu vou para a eternidade, para o céu. O corpo, a matéria, joga-se fora. Mas mesmo assim no fim mundo haverá a ressurreição dos mortos e nós teremos no céu um corpo lindo, glorioso. Assim vemos que este eu é muito importante em nossa vida.

Agora, quem cuida deste eu sou eu e não outra pessoa. Assim chegamos a esta bela conclusão: não são as pessoas que nos ferem, somos nós que nos deixamos ferir.

Nós nunca vamos segurar a língua dos outros e nunca as pessoas vão falar como nós queremos. Por isso nunca mais vou deixar-me ferir no meu eu. Vou lembrar sempre: não são as pessoas que me ferem, sou eu que me deixo ferir.

Viver somente o dia de hoje

A nossa vida propriamente é hoje. Devemos levantar-nos contentes e felizes, porque Deus nos deu mais um dia de vida e o sol volta a brilhar para todos.

O passado não existe mais. O caipira brasileiro fala-nos: "Águas passadas não movem moinho". É claro que podemos lembrar-nos do passado, especialmente o passado lindo. Mas nós não podemos vivê-lo. Nós temos a capacidade de superar tudo o que passou em nossa vida. Quem vive o passado, está estragando o seu dia hoje. E quem está de ré – voltado para trás – sofre e nunca vai para a frente. Há muitas pessoas revoltadas, sofrendo sem necessidade. Pessoas que não superaram o passado e que não vivem o dia de hoje.

Cada vez que desenterramos algo do passado, vamos sentir um mal-estar dentro de nossa casa. O passado precisa ser superado e nunca mais vivido.

Viver só o dia de hoje. Oito horas para trabalhar, oito horas para fazer as outras coisas, como o lazer, e oito horas para dormir. De tarde o sol vai apagando-se, aparece a lua, as estrelas brilham e tudo fica no escuro para dormirmos. Mas o homem moderno inventou a eletricidade, a televisão, os bailes, as festas, e vai dormir quando não aguenta mais. O despertador dispara para acordar. Aí nós vemos o homem irritado, correndo, não pode parar.

A maioria das pessoas são neuróticas, não controlam seus nervos nem os neurônios. Não vivem como deveriam viver. O cemitério fica ali bem perto e poucos chegam aos setenta anos e, quando chegam, já estão acabados e não aguentam nem o latido do cachorro do vizinho. Felizes os que sabem viver o dia de hoje.

O futuro não existe ainda. O futuro está nas mãos de Deus. Quem vive o futuro está prejudicando o dia de hoje.

Muitos vivem pré-ocupados. Estão ocupados agora e preocupados com o dia de amanhã. Há pessoas que chegam a ter dez preocupações por dia. Estão aqui e estão lá. A pré-ocupação divide a cabeça, dá um cansaço mental muito grande e provoca o stress. Pobre da pessoa que vive assim. O seu corpo está sujeito a muitas doenças, porque não vai aguentar. Esta pessoa não vive, vegeta.

A vida é somente o dia de hoje. O passado não existe mais. O futuro ainda não existe. Coloque o seu tijolo de hoje, e com isto todos os dias você irá crescer na vida e construir um futuro maravilhoso. Não coloque o tijolo no ar, porque ele não tem base para se apoiar e quando chegar o dia de amanhã, será uma vida atrapalhada, cheia de tijolos amontoados. Viva somente o dia de hoje. Viva plenamente feliz e contente.

Um dia Madre Tereza de Calcutá estava dando uma entrevista a vários jornalistas, quando alguém fez-lhe uma pergunta: "Madre Tereza, qual é o dia mais feliz de nossa vida?" E fez de novo a pergunta: "Madre Tereza, qual é o dia mais feliz de nossa vida?" Ela respondeu com muita sabedoria: "O dia mais feliz de nossa vida? É o dia de hoje. Passado não existe mais, futuro não existe ainda. O dia mais feliz de nossa vida é o dia de hoje".

Evitar o negativismo

Os antigos filósofos já diziam: "Nós somos mente que comanda e corpo que obedece. Nunca deveremos colocar a mente contra nós".

Quantas pessoas são negativas. Só reclamam: "Para mim nada dá certo... tudo o que eu faço dá errado"... São pessoas que só tomam o caminho errado e nada dá certo para elas, pois são negativistas e colocam a mente contra si. Nós somos mente que comanda e corpo que obedece. Seja sempre positivo: tudo vai dar certo, eu hei de vencer. Com a ajuda de Deus tudo dá certo, pois eu estou com ele.

Não colocar ameaças

Há pessoas que estão continuamente colocando ameaças em sua vida. Nada vai dar certo. Eu vou ficar doente. Vai acontecer um desastre. Vai acontecer isto, vai acontecer aquilo. E vai acontecer, porque a pessoa está mandando acontecer.

Nós não conhecemos o futuro, e por isso nunca deveremos colocar ameaças. A ameaça provoca angústia, ansiedade, tensão nervosa e desespero. Há pessoas que chegam a colocar três, quatro e até dez ameaças por dia.

São pessoas angustiadas, que vivem numa tensão nervosa todos os dias e não aguentam mais viver. Sofrem sem necessidade e provocam angústia e mais angústia. São pessoas que não sabem viver e estão se matando todos os dias.

Nunca mais coloque ameaça em sua vida. Você não conhece o futuro. A ameaça leva a pessoa à neurose fóbica (*fobôs* em grego quer dizer medo) e à síndrome do pânico.

11
A VIDA DE ÉDIPO

Uma lenda grega mencionada na Ilíada e na Odisseia, de Homero, narrada no século IX a.C., traz-nos uma história de depressão.

O teatro grego trouxe durante muitos séculos este mito em suas representações.

Freud (1856-1936) apresenta a história de Édipo como um fato psicológico, que nos mostra a depressão endógena.

Édipo e sua história

Seus pais e seu nascimento

Jocasta, esposa do rei Laio, estava esperando um filho. O rei Laio não aceitou este filho por conveniências políticas. Houve uma rejeição direta intrauterina paterna.

O rei vai ao templo de Apolo, em Delfos, e faz uma pergunta ao oráculo: "O que vai acontecer com esta criança?" O oráculo responde: "Esta criança vai matar seu pai e vai levar a ruína ao palácio de Tebas". O rei quer resolver os seus problemas psicológicos por meio da superstição.

O rei Laio, desorientado, manda furar os dois pés da criança e amarrá-los com correia. O pai e a mãe entregam a criança a um escravo, com a ordem de sumir com ela. A criança é levada até ao monte Citeron. Vemos aqui uma criança não amada, abandonada e rejeitada para sempre.

Édipo em Corinto

Alguns pastores encontraram a criança abandonada num pasto, levaram-na para Corinto e apresentaram-na ao rei Pólibo. Mérope, a esposa do rei, que não tinha filhos, aceitou a criança com muita alegria. Houve um amor opcional por esta criança, que se torna filho único e adotivo. Édipo é tratado com muito amor. É um menino bom, vai crescendo contente e ajuda muito os trabalhadores do reino.

Édipo vem a conhecer sua história

Um dia Édipo encontrou-se com um bêbado e ficou conhecendo sua verdadeira história. *In vino veritas*: "No vinho está a verdade". O bêbado contou a Édipo como ele foi levado ao monte Citeron e depois levado por alguns pastores para a cidade de Corinto.

O filho adotivo conhece sua história não em casa, mas na rua.

Édipo ficou sabendo que o rei Pólibo e a rainha Mérope não eram seus pais.

A vida de Édipo

No começo ele não acreditou no bêbado. Não queria acreditar, mas dentro dele começava um conflito, uma luta terrível. O seu inconsciente dizia que era verdade o que o bêbado falou, mas o seu consciente não aceitava. Estava criado o conflito interno no ser humano.

Com o tempo Édipo veio a saber toda a verdade. Os seus pensamentos eram: "Eu fui criado na mentira". "Eu não sou filho deste rei." "Eu fui rejeitado por meus pais verdadeiros." Ele voltou ao passado, ficou revoltado. A depressão toma conta dele. Como consequência de todo este conflito interno, ele faz uma fuga geográfica: sai errante pelas estradas, sem rumo e sem destino.

Édipo mata seu verdadeiro pai

Édipo chegou à encruzilhada da cidade de Megas cansado de tanto caminhar, com fome e ouve uma voz: "Sai da frente". Era o servo de Laio, guiando a carruagem do rei, gritando para o andante. Édipo atordoado não sai do caminho. O cocheiro parou a carruagem. Saiu e avançou contra Édipo. Alucinado, Édipo tira da cintura uma faca e o mata. Laio, que estava na carruagem vendo a cena, também sai da carruagem e avança contra Édipo.

Sem saber quem era aquele homem, Édipo mata seu verdadeiro pai. Um outro cocheiro, vendo aquela violência, foge desesperado.

Édipo, vendo diante de si dois cadáveres, foge correndo, sem rumo. Ele reprimia dentro de si uma revolta, um desequilíbrio emocional, e quando foi agredido pelo cocheiro não viu nada, se defendeu e matou.

Pânico em Tebas

O rei Laio está morto. Uma esfinge, um monstro, metade mulher e metade leão, apareceu em cima de um monte e ameaçava Tebas.

"Assim como o rei foi destruído, assim será destruída esta cidade. Se não derem resposta à minha pergunta, Tebas será destruída", disse a esfinge.

"A pergunta é a seguinte: 'Qual o animal que de manhã tem quatro patas, ao meio-dia tem duas patas e à noite tem três patas?'"

Ninguém sabia responder. Tebas estava ameaçada.

Édipo, inteligente, dá a resposta certa: o homem. De manhã, quando criança, o homem gatinha e usa as mãos e os pés para caminhar, como se tivesse quatro patas. Ao meio-dia, o homem cresce e usa as duas pernas para andar, como se fosse duas patas. À noite, no fim da vida, na velhice, o homem para andar usa as duas pernas e mais uma bengala, três patas.

A resposta estava certa. A cidade estava livre. Édipo é aclamado pelo povo e fica muito conhecido.

Mas o monstro colocou outra pergunta. Se a resposta for certa, a cidade fica livre, mas se a resposta for errada, Tebas

A vida de Édipo

será totalmente destruída. A segunda pergunta é esta: "Duas irmãs, uma gera a outra e a segunda gera a primeira. Quem são estas irmãs?" Édipo dá a resposta certa: "A luz e a escuridão". Édipo salva a cidade de Tebas. A notícia espalha-se por toda a parte. Ele passa a ser herói, carregado nos ombros pelo povo e é levado até à corte real.

Édipo encontra-se com sua mãe

Édipo chega ao palácio real. A rainha está há dias trancada no quarto, sem sair e com muito medo. Édipo, para dar a boa notícia à rainha, resolve entrar em seus aposentos. Encontra a rainha linda, atraente e com pouca roupa. Foi amor à primeira vista. Tiveram relações sexuais e casaram-se.

Édipo e a rainha Jocasta tiveram quatro filhos: Etéocles, Polínice, Antígena e Ismena. É uma família muito feliz.

Édipo era carente afetivamente, inseguro, precisava de uma mãe e a encontrou.

Segredo desvendado

Uma doença horrível, uma peste, invadiu toda a cidade de Tebas.

O oráculo de Delfos disse: "Enquanto não encontrarem o assassino do rei Laio, a peste não vai terminar".

O oráculo de Delfos chamou um adivinho e esse adivinho declarou: "O assassino é Édipo".

Édipo expulsou o adivinho do reino. Depois ele mandou chamar o segundo cocheiro que fugiu no dia do crime e tudo ficou esclarecido: Édipo é realmente o assassino de seu próprio pai.

Jocasta, ao conhecer quem era o assassino do seu marido, lembrou-se da profecia: "Esta criança vai matar o seu pai e vai levar a ruína ao palácio de Tebas". Desesperada, Jocasta se mata com uma faca. Édipo encontra o cadáver de sua mãe tombado, fica desesperado, cai em cima do cadáver e com o broche de sua mãe fura os próprios olhos.

Cena final

Édipo, expulso do reino, nu, cego, é conduzido pela mão de sua filha Antígena. A outra filha, Ismena, fica no palácio real para salvar os interesses de sua família.

Ele é levado para a cidade de Colona, onde encontrou um pouco de repouso. A depressão é cíclica, voltou com muito mais força, e Édipo morre nos braços de sua filha Antígena.

A rejeição intrauterina paterna e materna traz para a criança que nasce muitas consequências, e entre estas consequências uma repulsa muito grande pelo o pai ou pela a mãe.

A separação dos casais é a ruína de uma família, fazendo especialmente os filhos sofrerem muito. O casal continua unido ainda pelo dinheiro e a cobrança da pensão dos filhos é sempre a continuação da guerra doméstica. O final é triste: pais na solidão e os filhos dispersos e traumatizados.

A vida de Édipo

O lar feliz tem como base o amor, e Deus é Amor. Os filhos, por natureza, têm de amar por toda a vida seus pais. Como é lindo ver um casal de idade, os dois unidos. Os filhos já se casaram e trazem para seus pais a alegria dos netos. E o casal de velhinhos continua a namorar e a se amar. Não precisam conversar muito, pois só pelo olhar um sabe o que o outro quer. E quando um morre, em pouco tempo o outro vai para o céu também. Para os dois ficarem eternamente unidos.

12
FAZER TERAPIA É UMA NECESSIDADE

Fazer terapia é uma necessidade, porque precisamos desabafar, colocar para fora tudo aquilo que está pesando dentro de nós. Quantos conflitos aparecem em nossa vida, quantas dúvidas, por isso precisamos de alguém que nos ouça e alguém que nos dê uma palavra de conforto e até alguma orientação.

Podemos fazer uma terapia com um psicólogo, com algum psicanalista ou psiquiatra. Mas isto custa dinheiro e são poucos os que podem fazer uma terapia paga.

Diante da dificuldade financeira, que fazer? Temos outros recursos e outros meios, que não são aproveitados.

Podemos fazer uma terapia com Deus, com uma pessoa confidente, conosco mesmo, com uma pessoa que ofendemos, ou podemos fazer uma terapia de ajuda e até com a natureza.

Terapia com Deus

Deus é o grande psicólogo de nossa vida; ele nos conhece profundamente e conhece o nosso íntimo. Deus, o grande psicólogo, dá-nos audiência a qualquer hora do dia e da noite e não precisa marcar hora.

Deus ouve-nos perfeitamente e ele fala continuamente conosco. Fala por meio da natureza, das pessoas, dos acontecimentos em nossa vida, da Bíblia Sagrada, e por meio da Igreja. Basta parar, prestar atenção e ouvir o que ele nos fala. Deus está falando neste momento para nós.

Nós precisamos ter não somente uma saúde física, corpórea, mas precisamos especialmente ter uma saúde psíquica, que é a saúde da alma. Há uma tese que diz: "A doença antes de ser corpórea, ela é uma doença psíquica".

Como fazer a terapia com Deus?

Em primeiro lugar, temos de acreditar num *poder superior* que nos criou, nos deu vida e dá tudo para nós, até a felicidade.

Que é este poder superior? É Deus, é a Suprema Inteligência, o criador de todas as coisas, a Inteligência Universal e Eterna.

Muitas vezes pensamos que é o remédio que nos cura, ou aquele profissional. Mas quem fez a base daquele remédio, que é a planta, o elemento químico? Foi Deus. Quem colocou aquele profissional em nosso caminho, deu-lhe vida e inteligência? Foi Deus. Com o tempo nós vamos perceber que é Deus que nos cura.

Fazer terapia é uma necessidade

Deus cura qualquer doença

A depressão é uma doença psíquica que somatiza também o corpo.

Psique em grego quer dizer *alma*. E quem vai curar a alma? Deus.

O homem e a mulher foram feitos à imagem e semelhança de Deus. Foi ele que estabeleceu toda a ordem do universo e fez as leis físicas e mecânicas da natureza: astros, planetas, sol, lua, estrelas...

Foi Deus que estabeleceu a ordem que existe na ecologia, na fauna: aves, animais, flores, rios e montanhas...

Se destruirmos as leis da natureza, e esta ordem estabelecida por Deus, nós destruímos a natureza e criamos um caos muito grande no mundo.

A neurose, a doença psíquica, não é outra coisa senão um transtorno interno, uma desordem da alma que chega a afetar nossa pessoa e afeta até o fundamento de nosso corpo.

O desequilíbrio emocional é um desequilíbrio interno que afeta toda a vida de uma pessoa.

Onde vamos encontrar a ordem interior?

A ordem interior, a cura, nós encontramos em Deus.

A sanidade da alma, ou da vida psíquica nós encontramos em Deus. Mas nós precisamos abrir o nosso coração, conversar com Deus, fazer a nossa terapia com ele, e então nós seremos curados.

Somente depois de colocarmos ordem em nosso interior, com a ajuda de Deus, nós podemos viver equilibrados como pessoa humana com uma psique integrada inteiramente ao corpo. Formando a nossa personalidade, nós seremos uma pessoa íntegra, não dividida, sem conflitos.

Para isto precisamos ter muita fé naquele que nos deu a vida e colocou-nos aqui neste mundo. Precisamos também ter muita esperança, pois ele nos vai trazer a alegria de viver e viver com ele.

Entrega total nas mãos de Deus

A palavra "Deus" não deve ser uma barreira para você. À medida que você vai conversando com ele e fazendo sua terapia, vai conhecendo melhor este ser maravilhoso, que quer ser a nossa felicidade plena. Fique com aquela concepção que você tem de Deus e vá conhecendo-o cada vez mais.

Vamos colocar nossa vontade nas mãos de Deus e aos cuidados de Deus e tudo já começa a mudar em nossa vida para melhor.

Nós não conhecemos o futuro. Por isso seja feito como Deus quer e não como eu quero que seja.

Muitas coisas não se realizaram em nossa vida como nós queríamos que se realizassem. Percebemos logo que somos impotentes para realizar tudo o que queremos. Por isso colocamos a nossa vontade nas mãos de Deus. Ele conhece o nosso futuro e quer somente a nossa felicidade.

Acima de nós existe uma vontade superior

Acima de nossa vontade existe uma vontade superior, que é a vontade de Deus. Alguns aceitam esta realidade e outros não. Aqueles que não aceitam esta realidade continuam psiquicamente doentes. Caem num egoísmo terrível: tudo tem de ser conforme eu quero. Estes doentes psiquicamente continuam revoltados, frustrados, porque não conseguiram realizar os seus desejos.

Como nos unir com Deus?

Nunca querer impor a nossa vontade, mas sempre a vontade de Deus.

Pergunte sempre: "O que Deus quer de mim?" Ele vai dar a resposta.

Aceite a vida como a vida é e não como você quer.

Você poderia nascer na África e ser um negro ou uma negra bonita; nascer na Alemanha e ser alto, avermelhado e com cabelos loiros; poderia, muito bem, nascer alguns quilômetros acima de Manaus. Você seria um brasileiro ou uma brasileira. Lá que é bom: não precisa trabalhar, não precisa de dinheiro, usar roupa, nem carro. Comida não falta, tem de tudo.

Aceitar a vida como ela é, é um segredo de bem viver.

A vida, que Deus nos deu, é o dia a dia. A vida é hoje.

Passado não existe mais; o futuro ainda não existe, está nas mãos de Deus. Feliz a pessoa que acorda contente, trabalha oito horas e usa de mais oito horas para fazer aquilo que precisa, como se alimentar, para o seu lazer e oito horas para dormir. O dia mais feliz de nossa vida é o dia de hoje, e Deus pede para vivermos plenamente, em plenitude.

Fazer sempre a vontade de Deus

O segredo de toda a perfeição está em fazer a vontade de Deus e viver em conformidade com sua vontade.

Há muitas coisas que nós não podemos modificar na vida, mas que devemos aceitar. Unir a nossa vontade à vontade de Deus não é outra coisa senão entregar nossa vontade aos cuidados de Deus.

Deus deu para nós os seus mandamentos, e é dentro desta ordem que vamos encontrar felicidade. Pegou um caminho errado na vida, sofreu. Muitos sofrimentos da pessoa humana é a própria pessoa que constrói. E depois lança a culpa nas pessoas, nas circunstâncias da vida e até em Deus. Deus é Pai bondoso e quer somente a felicidade de seus filhos e filhas.

Terapia gostosa

A qualquer hora do dia, ou da noite, você poderá conversar com Deus e fazer uma terapia. Coloque em primeiro lugar os seus sentimentos: o que você está sentindo no momento. Pode ser uma dor, angústia, ansiedade, medo, ameaça ou qualquer outro sentimento.

Depois exponha para Deus o que acontece em sua vida no momento: um acontecimento desagradável, um erro cometido ou uma má notícia ou uma ofensa, acompanhada de maus-tratos. Converse com Deus e espere dele um alívio ou até a cura. Em seguida ouça o que Deus vai falar para você.

Terapia com Deus é uma delícia, porque nós podemos desabafar e contar para ele até as coisas mais íntimas do nosso sentimento.

Veja um exemplo de conversa com Deus:

Oração dos momentos de angústia

Estou aqui diante de ti, Senhor,
para desabafar contigo
minhas mágoas e tristezas.
Peço que tenhas paciência comigo
e escutes minhas lamúrias.
Parece que todos me abandonaram
e a vida ficou esquisita.
De uma hora para outra
nem eu consigo entender-me,
estou sentindo raiva até de mim.
A solidão tomou conta de mim,
o mundo ficou sem graça,
sinto-me vazio.

Depressão tem cura: liberte-se o quanto antes

Estou amargurado e vazio,
não tenho mais força para nada,
e a alegria desapareceu de minha vida
e falta-me ânimo para seguir adiante.
Estou por isso aqui diante de ti, Senhor,
para pedir que alivies esta minha tensão.
Preciso encontrar novos motivos
e esperança, para que o dia de amanhã
seja melhor.
Preciso absolutamente crer em ti,
crer que neste momento tão difícil
de minha vida,
tu continuas meu companheiro de jornada.
Eu me coloco totalmente em tuas mãos:
olha para mim com carinho: sou teu filho.
Quero sair daqui com uma nova certeza:
contigo, que és meu Pai, serei capaz de tudo,
serei capaz de vencer e ser feliz. Amém.

13
TERAPIA CONSIGO MESMO

Toda pessoa humana tem qualidades e defeitos. O que acontece muitas vezes é que nós não temos coragem de reconhecer os nossos defeitos. Quem não trabalha com seus defeitos e não os tira de dentro de si, faz com que eles vão aumentando cada vez mais.

As doenças psíquicas, as neuroses da vida e os desequilíbrios emocionais têm uma causa: os defeitos de caráter.

As pessoas que não têm coragem de mudar e tirar estes defeitos, chegam facilmente à irritabilidade, ao nervosismo e até à fúria.

Essas pessoas, quando chegam à velhice, criam tantas manias e reclamam de tudo que os filhos, os cônjuges não aguentam mais. Terminam a vida isoladas ou até em asilos, porque são insuportáveis.

Por isso nós precisamos fazer uma terapia conosco mesmo, conhecer nossos defeitos e ter coragem de mudar.

A cura interior

A cura física do corpo realiza-se de fora para dentro. A pessoa toma um remédio ou é operada por um médico. O médico abre o corpo da pessoa, retira o tumor, a úlcera, e coloca tudo em ordem e depois costura novamente o que foi aberto. Cura de fora para dentro.

Para haver a cura psíquica de uma pessoa, a cura é de dentro para fora. A pessoa precisa querer sarar, precisa ajudar-se e sobretudo tirar todos os seus defeitos de caráter. Quem não quer sarar ou não se ajuda, nunca vai ficar curado.

É necessário haver uma mudança interior. Enquanto não abrirmos mão dos nossos defeitos de caráter não haverá mudança nem cura. Não adianta dizer: "Eu quero mudar, se não faz força para mudar".

A única pessoa que nós podemos mudar é a nós mesmos. Não queiramos mudar os outros ou o mundo. Não vamos conseguir.

Não adianta nada "só quebrar o galho". A marcha torturante da neurose vai continuar, porque os nossos defeitos não foram tirados e eles são a causa da nossa doença emocional.

Ajude Deus a tirar os seus defeitos

Os nossos defeitos estão em nosso íntimo e nos acostumamos com eles.

Terapia consigo mesmo

Demoramos muito para tirar os nossos defeitos e muitos começam a tirá-los depois de muito sofrimento.

Muitas pessoas gostam de seus defeitos, dizendo: "Eu sou assim mesmo, ninguém me muda". Você não era assim. Deus não faz porcaria. Com o tempo você foi colocando dentro de você muitos defeitos. Ninguém vai mudar você. É você que pode mudar você.

Gostaria que lesse a letra de uma música:

Serenidade, eu vim buscar aqui
e aprender a ser feliz.
Ter coragem de mudar
o que pode ser mudado,
aceitar o que não muda,
impossível de mudar.

Tenha coragem de mudar a si mesmo. Não se acomode em seus defeitos. Não quero que você sofra e pague um preço alto, continuando com a doença emocional.

Deixe Deus remover os seus defeitos de caráter.

Saiba que somos nós que vamos mudar a nós mesmos e não os outros. Este trabalho pertence a nós.

Vale a pena mudar? Vale...

Para nós termos uma vida harmoniosa precisamos mudar muito e para o bem.

Coragem, vamos mudar

Como fazer para nos livrarmos dos nossos defeitos? Vamos pedir humildemente a Deus que nos ajude. Vamos abrir o nosso coração à ação do Divino Espírito Santo. É ele que perdoa os nossos pecados, é ele que nos purifica e nos santifica. Vamos ter coragem de abrir mão dos nossos defeitos. Não continue no erro. Tenha coragem de mudar. Abra uma torneira dentro de você: a torneira da compreensão, da amizade, da tolerância, do perdão e do amor.

Esqueça de si mesmo e coloque dentro de você a compaixão, a virtude da humildade, a generosidade, a paciência, a honestidade e a aceitação da realidade de sua vida. O passado não existe mais.

"Águas passadas não movem moinho", diz o caipira brasileiro. Mas antes de colocarmos todas estas virtudes dentro de nós, vamos limpar o nosso interior e tirar todas as sujeiras, os nossos defeitos de caráter.

Os defeitos de caráter

O primeiro defeito a ser retirado deve ser o egoísmo. Este defeito deixa a pessoa sempre aborrecida, chateada e contrariada, levando-a para um estado de nervo muito grande.

Outro defeito é a incapacidade de amar. Quem não ama a si mesmo não ama a ninguém e não se deixa ser amado. Quem não tem autoestima está fora de órbita, do mundo e do Evangelho.

Outro defeito é a *impaciência*. O impaciente não suporta nada e não tem capacidade de esperar.

Outro defeito horrível é o *orgulho*. São pessoas que querem aparecer mais do que são, e que sofrem porque continuamente são feridas em seu orgulho e nunca chegam a ser o que desejam ser.

Imaturidade emocional é um outro defeito que faz muitos sofrerem. Quem possui este defeito é imaturo, não desenvolveu sua personalidade e está atrasado na formação de sua personalidade.

Para dar lugar ao Divino Espírito Santo dentro de nós, precisamos tirar estes defeitos: ódio, raiva, rancor, vingança, ciúme e a incapacidade de saber perdoar.

Outro defeito horrível é a falsidade. Pessoas que mentem todos os dias e estão continuamente enganando os outros. Este defeito deveria ser corrigido dos sete aos dez anos de idade, mas muitos estão atrasados em corrigir-se da falsidade.

Há muitos outros defeitos que precisam ser retirados do íntimo: cobiça, inveja, vaidade, hipocrisia, intolerância e fúria.

Estes defeitos muitas vezes são acompanhados de muitas manias: mania de reclamar de tudo, de só criticar, de falar mal dos outros, de ver somente o escuro da vida, sem enxergar luz e muitas outras manias que as pessoas neuróticas vão acumulando no decorrer da vida.

Felizes os libertados de seus defeitos

As pessoas que trabalham e fazem terapia consigo mesmas recebem muitas recompensas aqui neste mundo. Agora podem conversar com Deus mais facilmente, porque sentem um alívio dentro de si e porque há dentro desta pessoa lugar para o Divino Espírito Santo fazer sua morada. Sua fé aumenta. O amor dentro deste coração torna-se uma realidade: ama a si mesmo, ama o próximo e acima de todas as pessoas, ama a Deus.

A pessoa que trabalhou com os seus defeitos e conseguiu libertar-se vai sentir: a alegria de viver e a serenidade de uma vida saudável. O calor humano passa a ser uma alegria, porque a pessoa se ama e se sente amada por todos. Seu olhar é diferente, seu sorriso é constante e esta pessoa sente a paz interior, o equilíbrio em sua vida, o otimismo e a paz mental.

A pessoa que tirou os seus defeitos ou estes já são controlados conscientemente, passam a ser pessoas equilibradas mental e psiquicamente.

Terapia com um confidente

Além de uma terapia com Deus, de uma terapia consigo mesmo, nós podemos fazer uma terapia com uma pessoa que confiamos, um confidente.

Nós temos necessidade de desabafar. Se sentimos tristeza, medo ou mesmo alegria, precisamos contar isso a alguém. A pessoa fechada está prejudicando a si mesma: fechou, embolorou.

Mas há pessoas que se desabafam na hora da raiva, durante uma briga, e lançam nos outros os seus problemas. Fez terapia? Não. Recalcou mais as suas angústias e acendeu dentro de si o fogo da revolta, da fúria e do ódio. A terapia com um confidente é uma necessidade de cada dia. Feliz o marido cuja a esposa é uma confidente. Feliz a esposa que pode desabafar com seu marido. Feliz a pessoa que encontrou um confidente e pode tirar de dentro de si tudo o que está incomodando ou pesando.

Como fazer a terapia confidencial

A primeira coisa é pegar lápis e papel e fazer um inventário moral de sua vida, mas um inventário minucioso e destemido.

Quando alguém fizer este inventário de sua vida, vai sentir um alívio muito grande, diminuir o complexo de inferioridade, parar de lamentar a vida, perceber que é uma pessoa normal, com muitos defeitos de caráter, e descobrir também que tem muitas qualidades e capacidades ocultas.

Faça o seu inventário moral (lápis e papel): Faça um levantamento de sua vida: Como foi sua infância? Como foram os seus estudos? Como foram sua puberdade, seu namoro, seu casamento, sua separação, seus traumas?

Faça um levantamento de sua vida: você ama o seu pai, a sua mãe e sente-se amado por eles? Como você está com sua família, com seu trabalho, com seus amigos ou inimigos, com seus vizinhos e com sua comunidade?

Faça um levantamento de sua vida: como você está com Deus? Deus é uma pessoa desconhecida, um ausente, um ser além das nuvens ou é um amigo, um pai, um protetor, um ente querido?

Lembre-se sempre: se estiver faltando Deus em sua vida, está faltando tudo, porque sem Deus nós não podemos viver. Vivemos somente no corpo, como os animais, e não vivemos na alma.

Para você fazer este levantamento de sua vida é preciso ter autenticidade. Não engane a você mesmo. Não esconda aquilo que está pesando dentro de você.

À procura de um confidente

Com a virtude da humildade dentro do seu coração, você poderá procurar uma pessoa para contar-lhe o seu inventário moral.

A pessoa humilde tem segurança em sua pessoa e não se rebaixa; tem muita serenidade e não tem medo que os outros descubram os seus defeitos.

Procure uma pessoa madura e experiente. Essa pessoa não precisa orientar, basta ouvir o que você vai falar. Poderá também procurar um profissional que saiba ouvir.

Precisamos colocar tudo para fora, pois cada segredo, erros e falhas ocultos agem dentro de nós como um veneno.

Conte tudo e não deixe nada oculto.

Se fizermos uma terapia bem feita com um confidente, encontraremos a paz interior, a virtude da humildade sem humilhação, a verdade sem preconceito e a felicidade interna.

Terapia com a pessoa que ofendemos

Há muitas pessoas que guardam dentro de si um passado desagradável. Quantos filhos e filhas fizeram seus pais chorar e causaram um sofrimento dentro daqueles corações que fizeram tudo por nós.

Quantos maridos perderam o controle e ofenderam sua esposa. Este marido tirou uma moça de uma família para fazê-la feliz e agora faz esta mulher chorar e levar o sofrimento dentro de si.

Quantas esposas não compreenderam a fraqueza do marido e passaram a ser uma advogada, ou mesmo juíza, e a condenar este homem para sempre. Quantos pais não amaram seus filhos, mas amassaram-nos só para impor uma autoridade dominadora dentro de casa. Estes filhos levam por toda a vida uma educação errada.

Quantas brigas com agressão física, quantas ofensas com gestos ou palavrões, quantos que levantam suspeitas infundadas e quantos que fazem outros sofrerem. Tudo isto fica gravado dentro do inconsciente tanto do ofendido como da pessoa que ofendeu. É necessário tirar toda esta sujeira.

E na vida econômica quantas dívidas não pagas, quantas discussões somente por causa de dinheiro. É um mundo de guerra, de roubo e cada um quer ser mais esperto do que o outro.

No mundo da convivência há muito menosprezo, muitas ofensas com palavras ou gestos e quantos dão as costas a seu irmão e irmã somente por causa de uma falta de humildade e de paciência.

Nós não podemos carregar nada disto dentro de nós. É a hora da libertação, do alívio, para jogar fora todo um passado desagradável.

Está na hora de fazer uma terapia com a pessoa que ofendemos. Podemos fazer uma reparação dos danos causados, quando possível, e nunca vamos prejudicar outras pessoas.

Muitas vezes nós não vamos encontrar mais aquela pessoa que prejudicamos. Aqui fica mais uma razão para procurarmos aquelas pessoas que sabemos onde estão.

Faça uma terapia com a pessoa ofendida, isto vai ser um alívio em sua vida, a libertação de um peso e a abertura para uma paz interior.

Reparar os danos causados

Vamos fazer uma lista das pessoas que ofendemos e prejudicamos, procurá-las e pedir perdão. É perdoando que somos perdoados.

Fazemos a nossa parte sem levantar o fogo do passado. Se a outra pessoa aceitou ou não, ou mesmo que não nos perdoe, não tem importância. Você fez a sua parte, fez a terapia com a pessoa ofendida. Mas tenho certeza: se fizer esta terapia, você vai fazer um bem a você e à pessoa ofendida.

O sair de si, com humildade, reconhecendo o seu erro, é algo de extraordinário na vida de uma pessoa. Quebramos o nosso orgulho e entramos para a vida de paz, de tranquilidade e serenidade. Um peso vai sair de dentro desta pessoa e ela não vai viver mais um passado desagradável.

A vida é hoje e o dia mais feliz de nossa vida é o dia de hoje. Passado desagradável, pesado, não existe mais, atrapalhando o dia de hoje.

Hoje sou feliz, vivo bem com todos os meus irmãos e com todas as minhas irmãs e sou muito feliz porque hoje eu vivo em paz com Deus dentro de mim.

Terapia de apoio

A terapia de apoio consiste no seguinte: depois que passamos por uma crise psicológica e sentimos um despertar espiritual dentro de nós, vamos ajudar outras pessoas que estão precisando.

Passamos por um problema, temos a experiência de como sair da situação e podemos ajudar quem precisar de nós.

A vida foi feita para ser doada e quando ajudamos alguém, ajudamos em primeiro lugar a nós mesmos.

Um despertar espiritual quer dizer: fomos curados, mudamos de personalidade. A pessoa que teve coragem de mudar sente-se feliz e poderá fazer muitas pessoas felizes.

Você que recebeu a cura percebe que Deus operou em você maravilhas. Você está agora vivendo sua vida, mas muitas outras pessoas não vivem, sofrem. Você poderá ajudar a estas pessoas.

Você não sente mais a angústia, a depressão, o medo, o desespero. Mas muitas pessoas estão desesperadas, com o pavor do medo e a angústia da depressão. Você pode ajudar estas pessoas.

Se você sair de si e for ao socorro de muitas pessoas que estão sofrendo, estará fazendo a terapia de apoio.

Unidos com Deus

Depois que nós nos libertamos de tantas coisas deste mundo e sentimos a alegria de viver, podemos livremente viver com Deus na terra.

O que é a oração? É uma conversa, um diálogo com Deus. Conversamos com Deus e ouvimos o que ele fala para nós. Como é gostoso conversar com uma pessoa que amamos.

A conversa com Deus é algo maravilhoso, suave, e traz para nós paz e muita alegria.

Mas muitas pessoas não sabem rezar, dialogar com Deus.

Se alguém fala com Deus, mas não sabe ouvi-lo, isto não é uma oração, um diálogo, é um monólogo.

Se alguém fala com Deus somente exigindo que ele faça a sua vontade, isto não é oração, é egoísmo.

Se alguém pedir alguma coisa a Deus e se for atendido como deseja, esta pessoa faz promessa para si ou para os outros, isto não é oração, é uma berganha: me dá aqui, que eu dou lá.

A pessoa que sabe rezar, que conversa com Deus, fala e ouve, sabe que Deus não está a nosso serviço, mas nós é que estamos a serviço dele.

Mas como servir a Deus? Fazendo a vontade dele; servindo ao nosso semelhante; colocando-nos em sua presença; tirando de dentro de nós o egoísmo e a prepotência, e vivendo com ele hoje.

Viver com Deus é abrir o nosso coração, deixá-lo entrar dentro de nós e tomar conta de toda a nossa vida; é viver no amor: "Deus é amor e quem permanece no amor, Deus permanece nele. E quem está com Deus sente a alegria de viver. Sente a paz interior. Sente uma felicidade muito grande". "E quem ama a Deus, não precisa temer nada." Estamos seguros nas mãos de Deus.

Você agora é feliz para fazer o mundo muito mais feliz.

Deus seja louvado.

ÍNDICE

Introdução _____ 3

1. Depressão, doença do século _____ 5
Neurose segundo as teses culturalistas
de Freud e Horney _____ 5
Neurose dentro da psicanálise _____ 6
Neurose segundo os reflexólogos como Pavlov _____ 6
Teoria mais recente _____ 7
As causas da neurose _____ 7

2. Depressão, doença que tem cura _____ 11
A depressão é totalizante _____ 11
A depressão atinge a inteligência _____ 11
A depressão atinge a vontade _____ 12
A depressão atinge os sentimentos _____ 12
A depressão manifesta-se também
nos sintomas externos _____ 12
A depressão atinge todo o sistema nervoso _____ 13
A depressão é cíclica _____ 13
A depressão e a fuga geográfica _____ 13

3. A depressão com suas consequências _____ 17
Outras consequências da depressão _____ 18
Mais consequências da depressão _____ 19
Paradoxalmente a depressão
pode ser uma coisa útil _____ 19
Dez anos de depressão _____ 20

4. O que é depressão? _____ 23
Em que consiste o ID? _____ 24
O que é o ego? _____ 24
O que é o superego? _____ 25
A depressão e o complexo de fúria _____ 26

**5. A depressão existe desde o começo
da vida do homem sobre a terra** _____ 29
A depressão de Jó _____ 30
Jesus não entrou em depressão _____ 31
A depressão de Judas _____ 32
O complexo de culpa e a depressão _____ 32

6. A depressão atinge muitas pessoas _____ 35
Depressão dentro do útero materno _____ 35
O que é depressão pós-parto? _____ 36
Depressão juvenil _____ 37

A depressão atinge os profissionais _____ 39
A depressão na vida idosa _____ 40

7. Como sair da depressão _____ 43
Tirar o complexo de perda _____ 43
Tirar o complexo de culpa _____ 44
Tirar o complexo de vítima _____ 45
Pedofilia e depressão _____ 46

8. Para uma pessoa sair da depressão, ela precisa amar-se _____ 47
A depressão poderá levar ao suicídio _____ 50

9. A depressão tem cura _____ 53

10. É preciso saber viver _____ 57
Autoestima _____ 58
Nunca se deixar ferir no seu eu _____ 59
Viver somente o dia de hoje _____ 59
Evitar o negativismo _____ 61
Não colocar ameaças _____ 62

11. A vida de Édipo _____ 63
Édipo e sua história _____ 63

12. Fazer terapia é uma necessidade _____ 71
Terapia com Deus _____ 71
Como fazer a terapia com Deus? _____ 72
Deus cura qualquer doença _____ 73
Onde vamos encontrar a ordem interior? _____ 73
Entrega total nas mãos de Deus _____ 74
Acima de nós existe uma vontade superior _____ 75
Como nos unir com Deus? _____ 75
Fazer sempre a vontade de Deus _____ 76
Terapia gostosa _____ 76
Oração dos momentos de angústia _____ 77

13. Terapia consigo mesmo _____ 79
A cura interior _____ 80
Ajude Deus a tirar os seus defeitos _____ 80
Coragem, vamos mudar _____ 82
Os defeitos de caráter _____ 82
Felizes os libertados de seus defeitos _____ 84
Terapia com um confidente _____ 84
Como fazer a terapia confidencial _____ 85
À procura de um confidente _____ 86
Terapia com a pessoa que ofendemos _____ 87
Reparar os danos causados _____ 88
Terapia de apoio _____ 89
Unidos com Deus _____ 90

FSC
www.fsc.org
MISTO
Papel produzido a partir de fontes responsáveis
FSC® C132240

A marca FSC® é a garantia de que a madeira utilizada na fabricação do papel deste livro provém de florestas que foram gerenciadas de maneira ambientalmente correta, socialmente justa e economicamente viável.

Este livro foi composto com as famílias tipográficas Adobe Gramond, Calibri e Gill Sans e impresso em papel Offset 75g/m² pela **Gráfica Santuário.**